Ó CHRAnn GO CRAnn

Le Caitríona HastinGs aGus AnDrew Whitson

CODE **26-84-90**----------------------**60**

Bhí an teach ar fad folamh.
Bhí gach rud curtha isteach
i mboscaí.

Bhí brón ar Nia.

Bhí jab nua faighte ag
Deaid. Bhí an chlann ag
fágáil a mbaile faoin tuath.

Bhí siad ag dul chuig
teach nua sa
chathair.

D'fhág Nia slán ag Bean Uí Fhloinn sa siopa.

D'fhág sí slán ag gach duine ar scoil.

D'fhág sí slán ag Mimí agus Micheál,
na comharsana béal dorais.

Bhí an-bhrón uirthi.

Bhí dream amháin eile a raibh ar Nia slán a fhágáil acu...

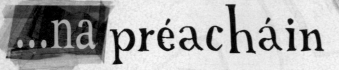

...na préacháin

a chónaigh sa chrann cnó capaill
ag bun an ghairdín.

Ba chairde speisialta ag Nia
na préacháin sin.

Nuair a bhíodh aon rud ag cur isteach
uirthi, is amach chuig na préacháin
a théadh Nia leis an scéal
a insint dóibh.

Thosaíodh na préacháin
ag cabaireacht eatarthu féin
agus thuigeadh Nia go raibh trua acu di.

Bhíodh na préacháin ag
súgradh le Nia fosta. Chaithidís maidí
beaga anuas sa mhullach uirthi san earrach
agus iad ag tógáil a gcuid neadacha.

'Nia Banana! Nia Banana!'
a scairtidís léi nuair a d'fhilleadh
sí ón scoil.

'Cág! Cág! Maidin mhaith!'
a chluineadh sí an chéad
rud ar maidin.

'Cág! Cág! Codladh sámh!'
a chluineadh sí san oíche.

Ach anois, bhí **uirthi** slán a fhágáil acu.

'Slán agaibh, a chairde,' a dúirt sí.
'Ní fheicfidh mé arís sibh.'

'Cág! Cág! Slán leat!'
    a d'fhreagair na préacháin.

'B'fhéidir go bhfeicfeá...!
    B'fhéidir go bhfeicfeá...!'

Bhí an-bhrón go deo ar Nia.

Chonaic na préacháin sa chrann cnó capaill Nia agus a clann ag imeacht.

D'eitil trí phréachán amach as an chrann. Bhí siad ag triall ar an chrann iúir, ag taobh na heaglaise, píosa beag suas an bóthar.

'Tá Nia ag teacht! Tá Nia ag teacht!' a scairt siad le préacháin an chrainn iúir.

D'eitil trí phréachán amach as an chrann iúir. Bhí siad ag triall ar an chrann darach, ar bharr an chnoic sa chéad bhaile eile.

'Tá Nia ag teacht! Tá Nia ag teacht!'

a scairt siad le préacháin an chrainn darach.

D'eitil trí phréachán amach as an chrann darach. Bhí siad ag triall ar an chrann caorthainn in aice an tseanchaisleáin, píosa níos faide ar aghaidh.

'Tá Nia ag teacht! Tá Nia ag teacht!'

a scairt siad le préacháin an chrainn chaorthainn.

D'

eitil trí phréachán amach as an chrann caorthainn. Bhí siad ag triall ar an chrann seiceamair a bhí i ngairdín an tí nua sa chathair.

'Tá Nia ag teacht! Tá Nia ag teacht!' a scairt siad le préacháin an chrainn seiceamair.

'Is maith sin! Is maith sin!' a d'fhreagair na préacháin sa chrann seiceamair.

Bhain Nia agus a clann an
chathair amach. Isteach
leo sa teach nua.

Bhí Nia an-uaigneach.

Shuigh sí ar bhinse in aice leis an chrann mór seiceamair ag bun an ghairdín.

'Cág! Cág!' a scairt na préacháin thuas sa chrann.

'Fáilte romhat, a Nia! Fáilte go dtí an chathair mhór!'

Bhí gliondar ar Nia. Chroith sí lámh chuig na préacháin. Tháinig aoibh an gháire uirthi.

Rith sí isteach chun tí.

An oíche sin, chuaigh gach duine a luí go luath. Bhí siad an-tuirseach.

An rud deiridh a chuala Nia sular thit a codladh uirthi ná cágaíl na bpréachán sa chrann seiceamair amuigh.

'Cág! Cág!' a dúirt siad.

'Codladh sámh, a Nia!'

'Codladh sámh!'

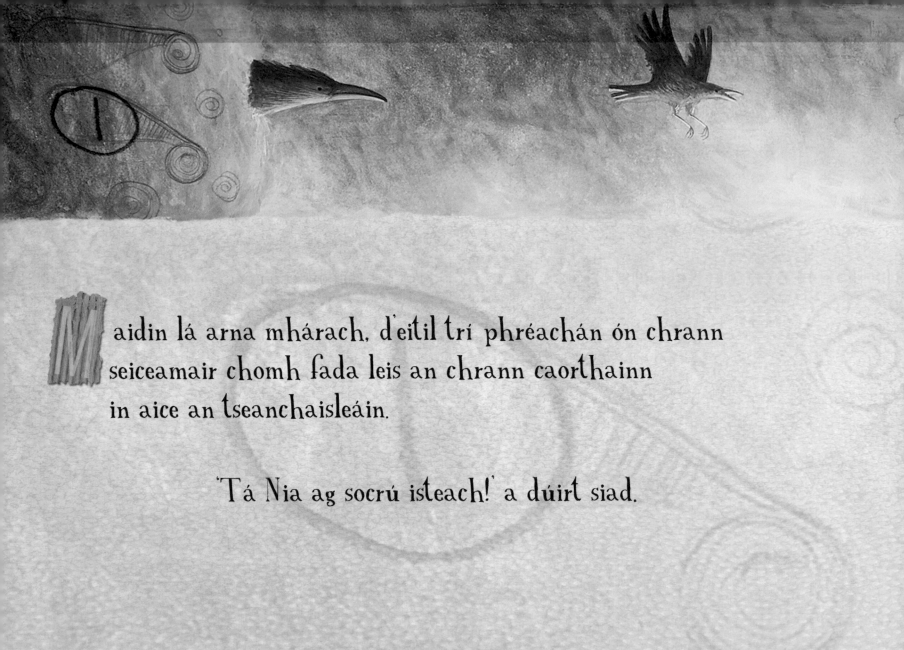

aidin lá arna mhárach, d'eitil trí phréachán ón chrann seiceamair chomh fada leis an chrann caorthainn in aice an tseanchaisleáin.

'Tá Nia ag socrú isteach!' a dúirt siad.

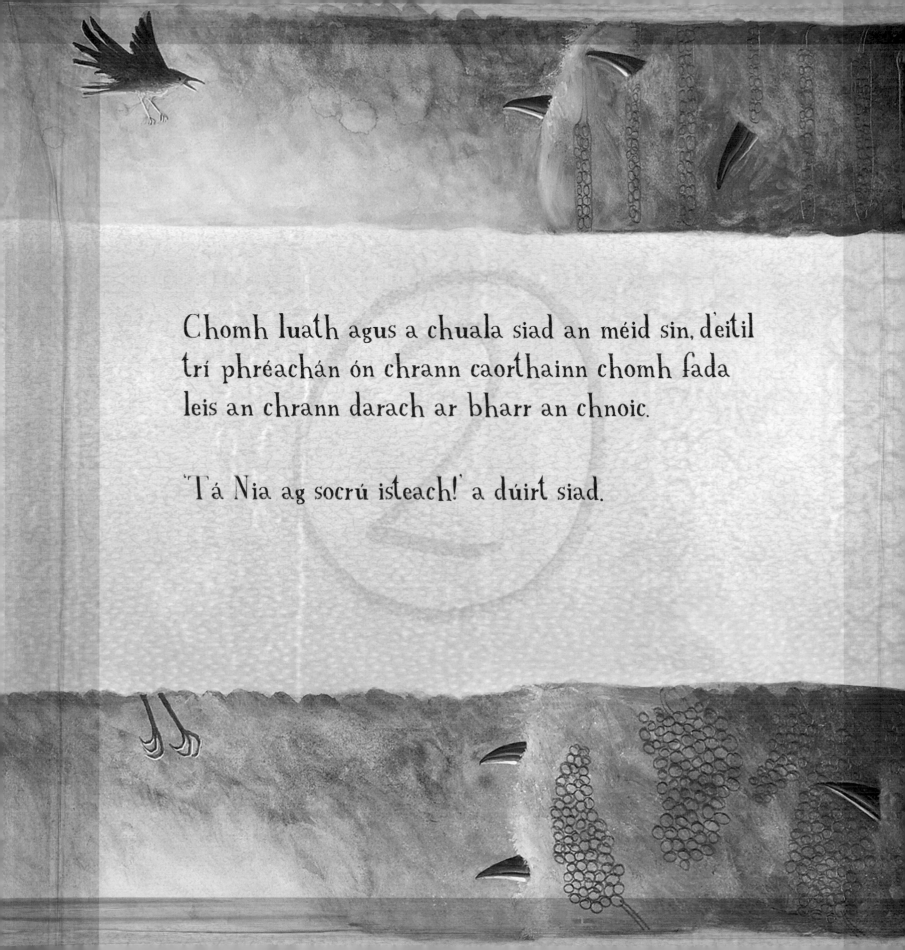

Chomh luath agus a chuala siad an méid sin, d'eitil trí phréachán ón chrann caorthainn chomh fada leis an chrann darach ar bharr an chnoic.

'Tá Nia ag socrú isteach!' a dúirt siad.

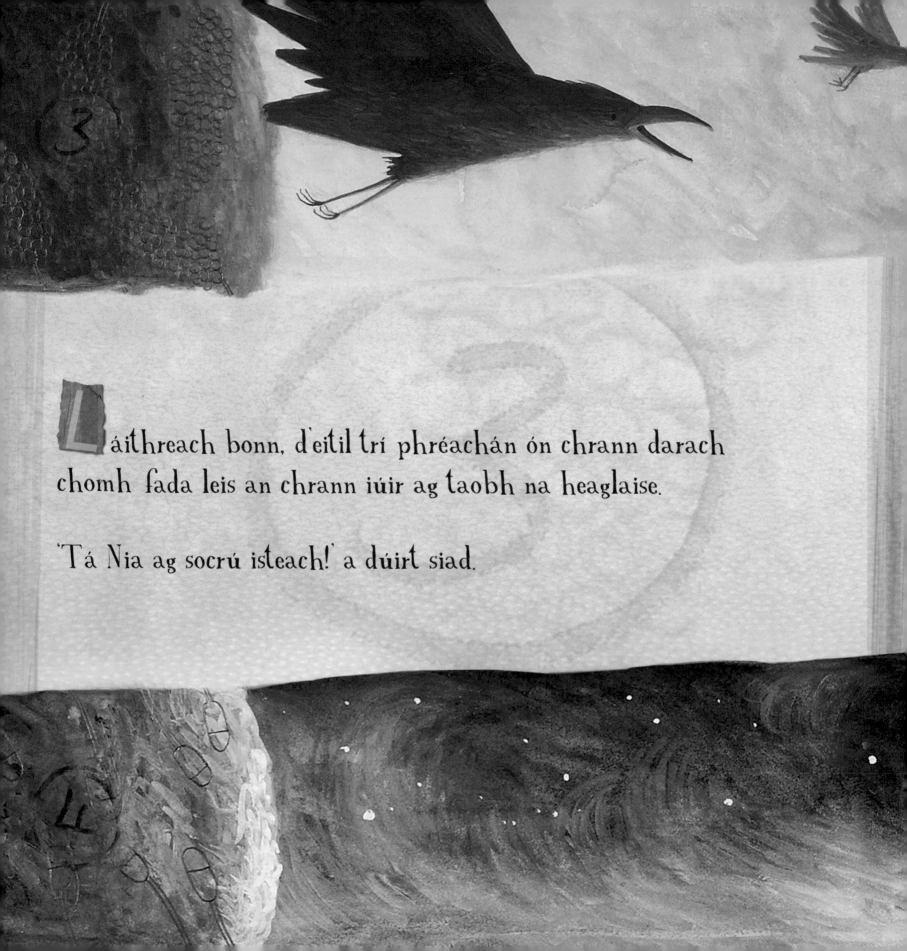

Láithreach bonn, d'eitil trí phréachán ón chrann darach chomh fada leis an chrann iúir ag taobh na heaglaise.

'Tá Nia ag socrú isteach!' a dúirt siad.

Leis sin, d'eitil trí phréachán ón chrann iúir chomh
fada leis an chrann cnó capaill ag bun an ghairdín
i seanteach Nia.

'Tá Nia ag socrú isteach!' a dúirt siad.

'Cág! Cág!' a d'fhreagair préacháin
an chrainn chnó capaill.
'Go raibh míle maith agaibh uilig!'

Roinnt laethanta ina dhiaidh sin, bhí clann eile ag bogadh isteach i seanteach Nia amuigh faoin tuath.

Bhí Learaí, mac an tí, ag siúl thart faoin ghairdín.

Ní raibh sé sásta. Bhí uaigneas air.
Níor thaitin an áit seo leis.

Chonaic Learaí préacháin thuas sa chrann cnó capaill. Nuair a d'éist sé leo, shíl sé go raibh na préacháin ag cágaíl rud éigin leis:

'Cág! Cág! Fáilte romhat, a Learaí! Fáilte romhat!' a scairt siad. Bhris aoibh an gháire ar Learaí. Chroith sé lámh chuig na préacháin.

Rith sé isteach chun tí ansin go bhfeicfeadh
sé an seomra nua a bhí ag fanacht leis.

B'fhéidir go mbeadh an áit seo
ceart go leor a shíl sé !

An oíche sin, agus Learaí ag dul a chodladh, chuala sé na préacháin ag cágaíl leo amuigh sa chrann cnó capaill.

'Cág! Cág!' a dúirt siad.

'Codladh sámh, a Learaí!

Codladh sámh!'

Buíochas

Ba mhaith linn ár bhfíorbhuíochas a ghabháil leis an mhuintir a thoiligh cuidiú agus comhairle dúinn chun an saothar seo a thabhairt i gcrích.

Táimid faoi chomaoin ar leith ag Seán Mistéil ildánach agus ag Isabelle Kane, beirt a thug gach comhairle agus cuidiú dúinn go tuisceanach foighdeach!

Míle buíochas.

Tá an tSnáthaid Mhór buíoch d'Fhoras na Gaeilge agus de Chlár na Leabhar Gaeilge as tacaíocht airgeadais a chur ar fáil.

Eagarthóireacht & Léamh Profaí:
Áine Nic Gearailt
Léamh Profaí:
Fedeilme Ní Bhroin agus Máire Bean Mhic Shcáin
Dlúthdhiosca agús Fuaim:
Scéalaí: Mairéad Ní Mhaonaigh
Simon Wood:www.journeyfor.co.uk
Glenn Wootton
Lucht Tacaíochta:
Máire Bean Mhic Sheáin & Seán Mac Seáin
Máire Andrews
Caoimhín Mac Giolla Chatháin & Dónall Mac Giolla Chóill
Coillín, Conn Coinín & Madadh !!
The Studio (Repro)
An Ceathrú Póilí & An Chultúrlann
Stephen O'Kane
Dermot Rooney